Para Jess, Louise y Ella,
las niñas más elegantes de la ciudad

Texto y dibujos: Niki Daly
Traducción: Fina Marfà
Dirección colección: Santi Bolíbar

Publicado por primera vez en Gran Bretaña en 1999
por Frances Lincoln Limited; 4 Torriano News, Torriano Avenue,
London, NW5 2RZ.

Coordinación de la producción: Elisa Sarsanedas.

ISBN: 84–89970–86-6

Impreso en Hong Kong

El vestido de Jamela

Texto y dibujos
Niki Daly

intermón

Mamá estaba muy contenta con la tela que había encontrado
en la tienda de Mnandi. Había tenido que trabajar mucho
para poderla comprar.

—¡Es preciosa, mamá! —dijo Jamela acariciando la crujiente
tela con la cara.

—Sí, es muy bonita, y muy cara, pero quería algo muy
especial para la boda de Thelma —dijo mamá.

Jamela ayudó a mamá a lavar la tela para quitarle la rigidez y juntas la tendieron al sol para que se secara.

—Yo la vigilaré, mamá —dijo Jamela.

—Gracias —dijo su madre—. No le quites ojo, no vaya a ser que Taxi salte y me la ensucie.

—No te preocupes, mamá —dijo Jamela.

Soplaba un vientecito cálido. Jamela restregó su cara por la sedosa tela y con el dedo recorrió aquellos dibujos tan bonitos.

Cuando Taxi dio un ladrido, se oyó a mamá gritar:

—Jamela, ¿estás vigilando mi tela?

—Sí, mamá. Ya casi se ha secado y queda muy suave —dijo Jamela.

Distraídamente, Jamela dio unas vueltas entre los pliegues de
la tela, que la fue envolviendo como si fuera un vestido nuevo.

Cuando su madre se dio cuenta de que no se oía nada, gritó:
  —Jamela, ¿estás vigilando mi tela?
No obtuvo respuesta.

Jamela ya iba calle abajo, tan contenta, a enseñarle
a Thelma lo bonita que era la tela para su boda.

Pasó por delante de la peluquería y del bar.

   —¡Caramba, qué bonita! —le dijo Manos Sucias, el mecánico, que precisamente estaba reparando el coche que debía llevar a Thelma el día de su boda.

Los niños se pusieron a seguirla cantando:

¡Kwela Jamela, la reina de África!

Taxi y la gallina de la señora Zibi también se unieron a ellos con sus ladridos y cacareos.

Entonces, un chico que iba en bicicleta, sin fijarse por dónde pasaba,
pisó la tela de la madre de Jamela.
¡Vaya desastre!

Desde su estudio de fotografía, Archie oyó todo el bullicio.
Salió corriendo con su cámara preparada y gritó:
    —¡Jamela, no te muevas!

Jamela se detuvo y los niños se amontonaron a su alrededor.
Taxi también quería salir en la foto, igual que la señora Zibi
y la gallina.
Y el chico de la bici hizo una der–r–r–r–r–apada allí mismo.
Todos sonrieron.

Pero Thelma, al ver a Jamela, la riñó:

—¡Ay, Jamela! Verás cómo va a enfadarse mamá
cuando vea qué has hecho con su tela.

Y así fue. Mamá se enfadó tanto que no podía ni mirar a Jamela.
No hacía más que mirar la tela sucia y arrugada y decir:

—¿Y ahora qué voy a ponerme para la boda de Thelma?

Todos se compadecían de mamá y estaban enfadados con Jamela.
Hasta Jamela estaba enfadada con Jamela. No lo había hecho
queriendo; había ocurrido.

Unos días después, Archie vio a Jamela que iba calle abajo sin
su habitual sonrisa y le dijo:

   —¡Eh, Jamela!, ¿qué te pasa? Mira que buena noticia.
Y señalando una fotografía del periódico, leyó con orgullo:

   KWELA JAMELA,
   LA REINA DE ÁFRICA
   Fotografía ganadora del premio,
   de Archie Khumalo.

Pero en vez de alegrarse, Jamela se echó a llorar; y le explicó a Archie cómo había quedado la tela de mamá.

—¡Qué historia más triste, Jamela! —dijo Archie—, pero tiene un final feliz.

Metió la mano en el bolso. Jamela se secó los ojos.

—Mira —dijo Archie sacando un fajo de billetes—. Gracias a la fotografía he ganado todo este dinero. Jamela no había visto tanto dinero junto en su vida.

—Con tanto dinero, Archie, se deben de poder comprar
muchas cosas en las tiendas —dijo Jamela.

—Claro —dijo Archie riendo—. Has adivinado el final feliz.

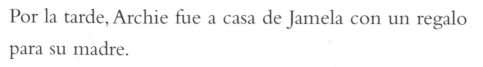

Por la tarde, Archie fue a casa de Jamela con un regalo
para su madre.

    —¿Qué me traes, Archie? —preguntó ésta sorprendida.

    —¡Ábrelo, mamá, ábrelo! —gritó Jamela.

Mamá abrió el paquete. Dentro había una tela preciosa
comprada en la tienda de Mnandi... ¡igual que la primera!

Jamela no paraba de dar brincos.

—*Enkosi kakhulu*. ¡Gracias, Archie! —dijo mamá.

—No, dáselas a Kwela Jamela, la reina de África —dijo
Archie mostrándole la fotografía ganadora del premio.
Al verla, mamá abrazó fuertemente a Jamela.

Cuando Archie se fue, Jamela ayudó a mamá a
lavar la tela y a tenderla para que se secara.
—Es la tela más bonita
del mundo —dijo Jamela.
Mamá sonrió y se pusieron a cantar
canciones mirando cómo el viento
hacía bailar las delicadas plumas
estampadas en la tela.

Entonces Jamela y su madre
jugaron un ratito a darse
palmadas.

—Vamos, mamá, te voy a enseñar una
canción —dijo Jamela.
Y Jamela
le enseñó
la canción
de un conejo
bobalicón que
todas las noches
tocaba el trombón.

Cuando terminaron la canción, la tela ya se había
secado y mamá enseñó a Jamela a doblarla como ella
había aprendido a hacerlo de pequeña.

Aquella noche, mamá no dejó de cortar y coser hasta que hubo terminado el vestido para la boda de Thelma. Y entonces se dio cuenta de que le había sobrado un trozo de tela. Lo midió con la mirada, le dio la vuelta. Después miró a Jamela, que dormía, y sonrió.

Las agujas del reloj ya pasaban de la medianoche y mamá
seguía trabajando. De vez en cuando cantaba:
"Kwela Jamela, la reina de África".

Al día siguiente, en la boda, Thelma estaba radiante.

Mamá iba elegantísima,

y cuando Archie dijo: "¡Sonreíd!",
¿quién sonrió más que nadie?

Pues

¡Kwela Jamela, la reina de África!

¡Claro!